l'enfance D'IZNOGOUD

TABARY

LES AVENTURES
DU GRAND VIZIR IZNOGOUD
EN COLLABORATION AVEC RENÉ GOSCINNY

AUX ÉDITIONS DARGAUD

L'ACHARNÉ
UNE CAROTTE POUR IZNOGOUD
LES COMPLOTS DU GRAND VIZIR
LE CONTE DE FÉES
DES ASTRES POUR IZNOGOUD
LE GRAND VIZIR
L'ORDINATEUR MAGIQUE
IZNOGOUD L'INFÂME
LE JOUR DES FOUS
LE TAPIS MAGIQUE
LA TÊTE DE TURC
LES VACANCES DU CALIFE

AUX ÉDITIONS DE LA SÉGUINIÈRE

LES CAUCHEMARS D'IZNOGOUD
LE COMPLICE D'IZNOGOUD
IZNOGOUD ET LES FEMMES

AUX ÉDITIONS GLÉNAT

L'ENFANCE D'IZNOGOUD

ET AUSSI

AUX ÉDITIONS DE LA SÉGUINIÈRE

GRADABU ET GABALIOUCHTOU
AUX ÉDITIONS GLÉNAT
JEANNOT HAIME CORINNE
RICHARD ET CHARLIE AU JAPON
TOTOCHE TOURNE MAL
LA MORT DE TOTOCHE

A Colette, ma femme...

Mise en couleurs de Danie Dubos

© Editions Jacques Glénat, tous droits réservés pour tous pays
© 1987 Editions J'ai lu pour la présente édition

C'EST MIEUX! SAUF QUE C'EST LÀ QU'IL FALLAIT FAIRE UN GRAND DESSIN! ENFIN. OR DONC, IL Y A LONGTEMPS, TRÈS LONGTEMPS, À BAGDAD...

AAAARR!...

LA MAGNIFIQUE, LA SOMPTUEUSE, LA SUPERBE...

SORS DE CETTE BELLE IMAGE, IMMONDE CRAPAUD VISQUEUX!!

BAH! SI ON PEUT PLUS MENDIER DANS LES QUARTIERS RICHES JE VAIS CREVER DE FAIM, MOI!

...RÉGNAIT LE BON CALIFE HAROUN EL POUSSAH.

JE SUIS BON.

BONTÉ QU'IL VA NOUS PROUVER SUR LE CHAMP!...

SALLE DES TORTURES

?

NOOON AU SECOU AAAAH

MAIS CE BON CALIFE
AVAIT UN GRAND VIZIR
QUI S'APPELAIT
IZNOGOUD! ET CET
IZNOGOUD LÀ N'ÉTAIT
PAS BON DU TOUT...

7

POUR FAIRE DES RÉFORMES! PAR EXEMPLE : CETTE LOI RÉTROGRADE, QUI CONSISTE À COUPER LA MAIN D'UN VOLEUR POUR LE PUNIR, EST INSENSÉ!...

...JAMAIS, LE FAIT DE LUI COUPER UNE MAIN NE L'EMPÊCHERA DE VOLER!... IL FAUT LUI COUPER LES DEUX!!!

PLAF!

QUI EST-CE?

BODU! LE SERVITEUR QUI DEPUIS TOUJOURS VEUT DEVENIR MAGICIEN! ET QUI DEPUIS TOUJOURS APPREND À TRAVERSER LES MURS, LE PAUVRE!

LA...LA... LA CONTEUSE DU CALIFE VIENT D'A... D'ARRIVER.

AU FAIT!? TU NE PEUX PAS FRAPPER, AVANT D'ENTRER!?

HEIN?.. MAIS... LA PORTE ÉTAIT OUVERTE, GRAND VIZIR...

... ET CONDUIS LA CONTEUSE À TON *%:!!%:%: CALIFE VÉNÉRÉ!!

LE CALIFE A UNE CONTEUSE?

OUI, POUR L'AIDER À S'ENDORMIR LE MATIN! EN EFFET, AU RÉVEIL, IL A QUELQUES DIFFICULTÉS À SE RENDORMIR...

AH, OUI?..

... J'AI DIT DE FRAPPER POUR ENTRER, PAS POUR SORTIR!...

PLAF!

... ELLE S'APPELLE THÉLÉÉRAZADE, ELLE A ÉCRIT PLUS DE MILLE CONTES... ELLE ME LES A RACONTÉS... SANS INTÉRÊT! AUCUN NE DIT COMMENT ON PEUT DEVENIR CALIFE À LA PLACE DU CALIFE!

HÉ, HÉ! J'AIME ÇA MOI, LES CONTES.

9

LA CONTEUSE DU COMMANDEUR DES CROYANTS!

AH! ENFIN! VITE! VITE! JE SUIS IMPATIENT...

LES MILLE ET UNE NUIT

OÙ EN ÉTIONS-NOUS RESTÉS, MON PETIT?

À LA PREMIÈRE LIGNE DE LA PREMIÈRE PAGE DU PREMIER CONTE.

PARFAIT. VAS-Y, JE T'ÉCOUTE.

IL ÉTAIT UNE...

14

HEIN?... À... À QUI TU PARLES, ALORS?!

À LUI!

SALUT DILAT, MON AMI! VEUX-TU LA MOITIÉ DE MON CASSE-CROÛTE AUX MERGUEZ? C'EST DE BON CŒUR!

PAPA! ÇA Y EST, JE SAIS CE QUE JE VEUX DEVENIR PLUS TARD!

J'AI UN DON! J'AI UN DON!

PAPA! JE VEUX DEVENIR MAGI-CIEN!!

FILE À L'OFFICE! LE CALIFE NE VEUT PAS TE VOIR DANS LES COULOIRS DU PALAIS!

17

※ BRUIT RELATIVEMENT LOINTAIN.

18

PATRON! PATRON!

CHÛÛÛT. TAIS-TOI, ABRUTI!!

TU NE DEVINERAS JAMAIS QUI J'AI VU!

BAH! C'EST CE QUE JE VOULAIS VOUS DIRE, PATRON... AVEC PREUVES!

J'ESPÈRE QUE ÇA VA MARCHER...

CR

BON. J'Y VAIS! UN... DEUX ...

REGARDEZ BIEN CE VISAGE ANGÉLIQUE, CAR JAMAIS PLUS VOUS NE LE VERREZ DANS SA FORME NATURELLE.

QUEL COUP!! SI JE LA RETROUVE CETTE FILLE!!*!

PLAF!

J'AI... J'AI DÛ OUBLIER DE FAIRE QUELQUE CHOSE...

4° NE PAS OUBLIER D'OUVRIR LA PORTE!.. MAIS C'EST ÉVIDENT! SUIS-JE BÊTE!

AÏE! VOILÀ L'AUTRE!

JE N'AI PAS LE DÉSHONNEUR D'ÊTRE VOTRE PAPA, MONSTRUEUX INCONNU!...

PAPA!?

COMMENT? TU N'ES PAS MORT?.!?

...ET JE NE SACRIFIERAIS PAS UNE SECONDE TARTE POUR TE LE PROUVER!

TOUT À L'HEURE, C'EST DILAT LARAHT QUE JE VOIS ENFANT, À PRÉSENT C'EST MON PÈRE VIVANT!?!

21

COURS ME CHERCHER UNE LANCE, JE VAIS TENTER UNE PETITE EXPÉRIENCE!

UNE?.. BIEN PATRON...

CETTE LANCE, ÇA VIENT?! ILS ARRIVENT!

VOILÀ, PATRON!...

MAIS?..

...C'EST MOI ENFANT? JE RECONNAIS BIEN MON GROS NEZ, MES JOUES ENFLÉES, MON ŒIL POCHÉ, MES...

PAS DU TOUT! JE SUIS COMME ÇA PARCE QUE JE VEUX DEVENIR MAGICIEN! ET QUE POUR COMMENCER J'APPRENDS À TRAVERSER LES MURS!

C'EST BIEN MOI!... ET LA PREUVE QU'ON APPREND TOUTE LA VIE.

QUE SE PASSE-T-IL, MON BON IZNOGOUD?

AH? PARCE QUE VOUS AUSSI?

PATRON, FAUT QUE JE VOUS DISE...

5° APRÈS UN MOIS D'ENTRAINEMENT ON PEUT EFFACER LA PORTE, ET ALLER DIRECTEMENT CONTRE LE MUR.

POURQUOI!...

...POURQUOI DEPUIS 30 ANS JE M'ACHARNE À VOULOIR TRAVERSER LES MURS!? POURQUOI?..

GLOIRE ET HONNEUR AU COMMANDEUR DES CROYANTS!

TU RENDS LES HONNEURS À UN INCONNU, TOI?

27

i...ILS ONT DISPARU !!?

MA BOSSE AUSSI, PATRON.

JE NE VOIS PAS LE RAPPORT!

MOI NON PLUS, PATRON. PAR CONTRE...

PAR CONTRE, QUOI?

...TR...

i...IL A RÉUSSI !!... J'AI RÉUSSI! PUISQUE C'EST MOI EN-FANT!

ET JE SAIS À PRÉSENT, POURQUOI JE M'ACHARNE DEPUIS TOUJOURS!

MERCI, BRAVE HOMME, D'AVOIR AMORTI LA CHUTE DE TON CALIFE. J'AURAIS PU ME CASSER LES REINS.

C'EST TOUT À FAIT NORMAL, Ô COMMANDEUR DES CROYANTS! LES REINS, DE LA LARVE IMMONDE QUE JE SUIS, N'EXISTENT QUE POUR AMORTIR LES CHUTES DE MON CALIFE VÉNÉRÉ...

NON, QUAND VOUS ÉTIEZ GRAND, MAINTENANT, ET MOI PETIT, AVANT, MAIS EN MÊME TEMPS, TOUT À L'HEURE...

COMMENT? TU...TU VEUX DIRE QUE LA PETITE EXPÉRIENCE QUE J'AI TENTÉE A RÉUSSI??

C'EST INSENSÉ! TU VEUX DIRE QUE J'AI BLESSÉ, AUJOURD'HUI, UNE VISION DE TOI, DATANT D'UNE TRENTAINE D'ANNÉES, ET QUE TU EN PORTES LA MARQUE?

REGARDEZ, PATRON! LA CICATRICE EST APPARUE SUR MON MOLLET À L'INSTANT MÊME OÙ VOUS M'AVEZ PORTÉ LE COUP DE LANCE.

AH, MON BON IZNOGOUD... JE CROIS QU'IL Y A UN MAGICIEN DANS LE PALAIS, QUI, PENDANT QUE JE FAIS MA SIESTE ET PARCE QUE JE SUIS BON, SE SERT DE MOI POUR FAIRE SES MAUVAIS TOURS DE MAGIE!... IL FAUT LE TROUVER ET LE LUI INTERDIRE...

À VOS ORDRES, Ô COMMANDEUR DES CROYANTS.

...BON, SI TU AS BESOIN DE MOI, JE SUIS SUR MES COUSSINS... NE ME DÉRANGE PAS.

UN MAGICIEN? C'EST ÉVIDENT, IL Y A UN MAGICIEN DANS LE PALAIS.

HÈ, BOUGRA!..

ÇA Y EST, JE SUIS MAGICIEN! J'AI RÉUSSI À TRAVERSER UN MUR!!

QUAND ÇA?

TOUT À L'HEURE, QUAND J'AVAIS 10 ANS... TU PEUX PAS COMPRENDRE! TU VEUX VOIR?

VOLONTIERS, J'AIME BIEN RIGOLER!!

TU AS ENTENDU CE QU'A DIT LE CALIFE? IL Y A UN MAGICIEN DANS LE PALAIS. TROUVE-LE! ET AMÈNE-LE MOI!

JE N'EN VOIS QU'UN, PATRON...

...BODU.

HÍ! HÍ! HÍ! JE SENS QUE GRÂCE À CE BODU JE VAIS DEVENIR CALIFE À LA PLACE DU CALIFE!

REGARDE BIEN... J'Y VAIS!

JE SUIS SCEPTIQUE, PATRON. BODU, JUSQU'À PRÉSENT, A TOUT RATÉ.

SI, PATRON.

COMMENT?! BODU, CE N'EST PAS CELUI QUI EST PASSÉ TOUT À L'HEURE EN CRIANT: J'AI RÉUSSI! J'AI RÉUSSI!?

...IL A RÉUSSI! HA! HA! HA! HA! HA!

PLAF! CRUIIIIIK!! BROUM! CRAC!

VA ME CHERCHER MON AMI BODU!

OUI, PATRON.

WOUAAAH!

AÏE! OUÏE DOUCE-MENT LES GARS...

JETEZ-LE DANS UN CACHOT! JE VAIS PRÉVENIR LE GRAND VIZIR QUI DÉCI-DERA DE SON SORT!

!?

RAHAHARA

AU CACHOT!? MOI?... MAIS POURQUOI?

EMBARQUEZ AUSSI SON COMPLICE!

SON COMPLICE? OÙ ÇA? QUI ÇA?!?

PUISQUE JE NE PARVIENS PAS À PRENDRE LA PLACE DU CALIFE PENDANT QU'IL EST ADULTE, PEUT-ÊTRE QUE CE SERA PLUS FACILE QUAND IL SERA ENFANT...

35

LA LOI À CE SUJET EST DE VOUS, GRAND VIZIR, ET ELLE DIT QUE: LE COUPABLE DOIT AVOIR, LES ONGLES ARRACHÉS, LES MAINS COUPÉES, LES PIEDS ÉCRASÉS, LE CORPS EMPALÉ, LES...

IL EST PASSÉ PAR LÀ!

... LES OREILLES COUPÉES EN POINTE, LA TÊTE TRANCHÉE, LE ...

ASSEZ! C'EST TROP! IL SE TROUVE QU'AUJOURD'HUI JE SUIS DANS UN BON JOUR...

PLAF!

HEEEU... VOUS LUI FEREZ TRANCHER LA TÊTE, ÇA SUFFIRA POUR CETTE FOIS.

À VOS ORDRES, GRAND VIZIR.

CATASTROPHE! SEUL, LE PATRON PEUT LE SAUVER! VITE! VITE!...

PILAT! PRENDS À DROITE! C'EST UN RACCOURCI!

MERCI, VIEUX, JE...

HA!HA!H!

PLAF!

J'L'AI EU! J'L'AI EU!

?!☆

HAHAHA! HAAAAAA!!

TU EN AS MIS DU TEMPS!...

J'AI POURTANT PRIS LE RACCOURCI, PATRON...

OÙ EST MON MAGICIEN?

40

GARDES!! ARRÊTEZ CETTE CANAILLE!! CET ASSASSIN!

MAIS??! C'EST LE GRAND VIZIR!!!

ET CETTE FOIS, PAS DE BONTÉ. VOUS NE LUI COUPEZ PAS LA TÊTE TOUT DE SUITE!!

C'ÉTAIT POUR RIRE.. SAUVE QUI PEUT!

ALORS, VOUS AUSSI, PATRON?..

AAAAAARR!! TAIS-TOI! JE NE ME SOUVIENS PLUS DE CE QUE JE DOIS FAIRE!!!

HEU... SI JE VOUS LE DIS, PATRON, AURAI-JE DROIT À UNE PETITE GRATIFICATION?

COMMENT?

RIEN DUTOUT!! ET SI TU NE ME LE DIS PAS, JE TE FAIS TRANCHER LA...

MAIS?

CHER BODU, ACCEPTERAIS-TU DE DEVENIR MON MAGICIEN PERSONNEL? UN SALAIRE ROYAL, PRIME ET MOIS DOUBLES À LA FIN DE L'ANNÉE, RETRAITE À 80% EN FIN DE CARRIÈ...

N'IMPORTE QUOI! POURVU QU'ON ME SORTE DE LA!!!

LE TOUR DE MAGIE QUE TU AS FAIT TOUT À L'HEURE, ET QUI NOUS A FAIT APPARAÎTRE EN ENFANT, M'INTÉRESSE PRODIGIEUSEMENT... J'AIMERAIS QUE TU ME LE FASSES À NOUVEAU.

AH!? PARCE QUE VOUS AUSSI?... AYAYAÏE!!!

SI JE LUI DIS QUE CE N'EST PAS MOI, SÛR, JE PERDS MA SITUATION! C'EST THÉLÉÉRAZADE, LA CONTEUSE DU CALIFE, QUI A FAIT CE TOUR! IL FAUT QUE JE LA RETROUVE!! MAIS EN ATTENDANT JE DOIS GAGNER DU TEMPS...

MAIS OUI, AU FAIT, OÙ EST PASSÉE THÉLÉÉRAZADE, LA CONTEUSE DU CALIFE, APRÈS AVOIR TRAVERSÉ LE MUR POUR ÉCHAPPER À BODU ??...

OÙ SUIS-JE?

À PRIORI, ELLE SEMBLE NE PAS LE SAVOIR NON PLUS.

OÙ SUIS-JE ?!

¡ICI!

MAIS ENCORE ?..

DANS L'ANTRE DE LA CONFRÉRIE DES MAGICIENS, SORCIERS, NÉCROMANCIENS, DEVINS, ALCHIMISTES, FARCEURS, ENCHANTEURS, FAKIRS, THAUMATURGES ET AUTRES CHARLATANS! SEULEMENT, POUR T'ACCEPTER DANS NOTRE GRANDE FAMILLE JE DOIS TE FAIRE SUBIR UN TEST!..

... ACCEPTES-TU DE SUBIR CE TEST OBLIGATOIRE?

OUI.

ALORS, CE TOUR DE MAGIE, ÇA VIENT!

HEIN? LÀ? TOUT DE SUITE? I...IL FAUT D'ABORD QUE JE RETROUVE MA BAGUETTE MAGIQUE... CAR, SANS BAGUETTE MAGIQUE...

EH BIEN, DÉPÊCHE-TOI DE LA RETROUVER TA BAGUETTE MAGIQUE! SINON, JE TE REMETS ENTRE LES MAINS DU BOURREAU!

TOUT DE SUITE, GRAND...

PLAF!

HÈ! VOUS... VOUS AVEZ VU SANS BAGUETTE MAGIQUE...

SUIVONS-LE DISCRÈTEMENT! J'AI L'IMPRESSION QUE CE BODU EST MAGICIEN COMME MOI JE SUIS CALIFE!

SURTOUT POUR TRAVERSER LES MURS.

... ACCEPTES-TU DE PRENDRE LA CARTE PERPÉTUEL-LE DE MEMBRE DE LA CONFRÉRIE? 200 PIASTRES PAR AN...

OUI.

IL S'EST PROCURÉ UNE PIOCHE, PATRON...

ÉTRANGE BAGUETTE MAGIQUE.

... ACCEPTES-TU DE SOUSCRIRE UN A-BONNEMENT DE 2 ANS AU JOURNAL DE LA CONFRÉRIE "LE PETIT MAGI-CIEN"?.. 500 PIASTRES PAR AN?..

HEIN?.. HEU... OUI

NON, À LA PLACE, JE SUIS DEVENU LE MAGICIEN DU GRAND VIZIR! MALHEUREUSEMENT, IL ME DEMANDE UN TOUR DE MAGIE QUE JE SUIS INCAPABLE DE FAIRE! C'EST THÉLÉÉRAZADE, LA CONTEUSE DU CALIFE, QUI A FAIT CE TOUR! JE SAIS OÙ LA TROUVER!..

!?!

ACCEPTES-TU DE TE FOURNIR EN FARCES, ET ATTRAPES ET MATÉRIEL DE MAGIE EXCLUSIVEMENT CHEZ KHO-LI BEY, MARCHAND À BAGDAD, ET DE VERSER UNE AVANCE DE 1.000 PIASTRES?...

MAIS, OÙ VOULEZ-VOUS QUE JE TROUVE TOUT CET ARGENT?..

J'EN ÉTAIS SÛR!!! LE BANDIT!! LE MENTEUR! AAARR. AU BOURREAU!! AU BOURREAU!

PAS TOUT DE SUITE, PATRON, ATTENDEZ AU MOINS QU'IL NOUS AI MENÉS À THÉLÉÉRAZADE.

E- CETTE PIOCHE?

TU VAS VOIR.

48

VOILÀ TON CONTRAT, TU SIGNES ICI.

PFFFT! PFFFT! ATTENTION...

?

HAAAAAAA!!

HA! HA! HA! MOI AUSSI JE SUIS MAGICIEN!

RENDONS-NOUS CHEZ CETTE THÉ-LEÉRAZADE! HÊ! HÊ! HÊ! MON CHER DILAT, JE SENS OBSCURÉMENT QUE CETTE PETITE VA ME FAIRE DEVENIR CALIFE À LA...

COMME VOUS DITES, PATRON, C'EST ENCORE TRÈS OBSCUR...

HA! HA! HA! TU NE M'EN VEUX PAS, J'ESPÈRE... AU FAIT, ET TOI, C'EST QUOI TON TOUR DE MAGIE?

C'EST ÇA!!

PLAF!

PLUS VITE! PLUS VITE!

QUEL TANGAGE! PATRON, J'AI MAL AU CŒUR!

ÇA... ÇA A ENCORE MARCHÉ!! QUI...

QUI ÊTES-VOUS?

MOI? MAIS JE SUIS RHIRORA BEY, PROPRIÉTAIRE DE CETTE BOUTIQUE, POURQUOI?

(52)

MAIS, JE ME RECONNAIS! C'EST MOI ENFANT!!

ATTENCHION...

HAAAAA!!

PFFFF

JE VAIS ARRIVER TROP TARD! JE VAIS ARRIVER TROP TARD!!

C'EST BIEN MOI! HA!HA!HA! ET LE COUP DU SERPENT, C'EST UN TOUR QUE J'AI IMAGINÉ QUAND J'ÉTAIS JEUNE, JE M'EN SOUVIENS...

J'EN AI UN AUTRE, TU VEUX LE VOIR?

OUAIS.

BROUM!

HAHAHAHAHA!!

CELUI-LÀ, JE NE M'EN SOUVENAIS PLUS...

BOURREAU!

...E DES TOR

TU LUI AS COUPÉ LA TÊTE?!

PAS ENCORE, GRAND VIZIR...

WOUAAH! JE SUIS SAUVÉ! OÙ EST-IL? IL FAUT QU'IL ME DISE QUELQUE CHOSE DE TRÈS IMPORTANT!

AÏE! POUR ÇA, C'EST TROP TARD, GRAND VIZIR... LES SUPPLICES SONT COMMENCÉS... ET NOUS LUI AVONS COUPÉ LA LANGUE...

COMMENT?!

56

HÈ, HO! MONSIEUR, J'AI AUSSI CELUI-LÀ, TU VEUX VOIR?

HMMM?

KHOLI! JE T'AI INTERDIT D'ENNUYER LES CLIENTS!

HÈ, PAPA! MAIS JE NE SUIS PAS CLIENT, ICI, JE SUIS PROPRI-ÉTAIRE!

LE QUART D'HEURE EST ÉCOULÉ!!! ALLONS-Y!.

TABARY.

QUI EST CET AHURI QUI M'APPELLE PAPA, ET QUI PRÉTEND ÊTRE LE PROPRI-ÉTAIRE DE MA BOUTIQUE?

MAIS POURQUOI NE ME RECONNAÎT-IL PAS, LUI?

C'EST LOGIQUE! LUI NE VOUS A PAS ENCORE VU COMME VOUS Ê-TES AUJOURD'HUI!

58

RATTRAPE-LE! ET RAMÈNE-MOI CE VERRAT!!

JE N'AI AUCUNE CHANCE, PATRON.

POURQUOI ÇA?

PARCE QU'IL EST MOTIVÉ, LUI, PAS MOI.

PAS MOTIVÉ, TOI?!

ET COMME ÇA, TU ES MOTIVÉ ESPÈCE DE FAINÉANT!?? TU ES MOTIVÉ?!

OUI, PATRON! AÏE!! OUIE! J'Y VAIS!!

AÏE! ÇA SE COMPLIQUE! FAUT PAS TRAÎNER PAR ICI!!

AAARR! MAIS SI JE L'ATTRAPE JE LE BOUSILLE CE MÔME! MÊME SI C'EST MOI!!!

HA!HA!HA! HA!HA!HA!

... C'ÉTAIT MOI ENFANT!

TOI AUSSI TU SAIS FAIRE ÇA? QUI ES-TU?

JE ME PRÉSENTE: KHOLI BEY, MARCHAND DE FARCES ET ATTRAPES ET MAGICIEN DIPLOMÉ...

JE PEUX MÊME AFFIRMER QUE JE SUIS LE PLUS GRAND MAGI...

2 JE BZZ... 2 ChPME DE u. FAIS... u ww w 2 w...!!!

COMMENT?!!

JE SUIS LE GRAND VIZIR IZNOGOUD! DILAT LARAHT, MON FIDÈLE HOMME DE MAIN, ME RAPPELLE QUE NOUS AVONS DÉJÀ EU À FAIRE À TOI!! ET QUE LE TOUR DE MAGIE QUE TU M'AVAIS VENDU À CETTE OCCASION, AVAIT LAMENTABLEMENT RATÉ!!
(*)

CE... CE NOUVEAU TOUR CE N'EST PAS MOI QUI LE FAIS, GRAND VIZIR, J'AI SIMPLEMENT SON INVENTEUR SOUS CONTRAT EXCLUSIF

(*) VOIR: LA TÊTE DE TURC D'IZNOGOUD.

64

CE CONTRAT M'INTÉRESSE, COMBIEN!?

15.000 PIASTRES, GRAND VIZIR, UN PRIX D'AMI..

IL UN 2n w QU n. LOw DÉDU SE LE w...

HMMM?.. CELA VA DE SOI!

D'ACCORD POUR 15.000 PIASTRES MAIS, COMME ME DIT MON FIDÈLE HOMME DE MAIN, IL FAUT DÉDUIRE DE CETTE SOMME LE PRIX DE CET ANCIEN TOUR QUI AVAIT SI LAMENTA- BLEMENT RATÉ!

À COMBIEN SE MONTAIT LE PRIX DE CET ANCIEN TOUR SI LAMENTA- BLEMENT RATÉ, MON CHER DILAT?

19.999 PIASTRES, PATRON.

HEIN?!..

ÇA SIGNIFIE QUE JE VOUS VENDS LE CONTRAT, ÇA VA ME COÛTER 4.999 PIASTRES!?

TU VOIS, NOUS AUSSI ON EST MAGICIEN!

HA! HA! HA!

SI JE NE VOUS VENDS PAS CE CONTRAT, MAIS QUE JE VOUS LE DONNE, TOUTES CES TRANSACTIONS S'ANNULENT?

J'Y PERDS, MAIS J' ACCEPTE! VA LE CHERCHER!

CE DILAT LARAHT VA ME LE PAYER !! C'EST DE SA FAUTE !

HA! HA! HA! H

!?!

SPLATCH!

OUTCH!

JE... JE NE SAIS PAS COMMENT J'AI FAIT, MAIS AVANT DE DISPARAÎTRE J'AI COLLÉ UN SEAU D'EAU SUR LA PORTE POUR ME FAIRE UNE BLAGUE !

C'EST NORMAL, PUIS-QUE VOUS ÊTES MAGICIEN !!

ON S'EN FOUT ! VA CHER-CHER LE CON-TRAT !

REGARDEZ, PATRON, IL M'A OFFERT UN CADEAU!.. QU'EST-CE QUE ÇA PEUT BIEN ÊTRE?

UN CADEAU?..

... POUR TOI? QUI VIENT DE LUI FAIRE PERDRE 15.000 PIASTRES?!! BOUGRE D'IDIOT! JETTE-MOI ÇA AU LOIN! CE NE PEUT ÊTRE QU'UNE BOMBE!

VOUS... VOUS CROYEZ?

VA-T-IL LE ?..

VOUS AVEZ RAISON, PATRON, DANS LE DOUTE...

... OUAIS!

À PRÉSENT, RENDONS-NOUS CHEZ CETTE THÉLÉERA...

69

70

OÙ EST-ELLE CETTE ?..

ÇA NE MARCHE PLUS ?!..

JE SUIS LE GRAND VIZIR IZNOGOUD...

...J'AI RACHETÉ TON CONTRAT À KHOLI BEY, ET J'AIMERAIS QUE TU ME FASSES TON TOUR DE MAGIE.

MAIS ?.. MAIS JE N'OSERAI JAMAIS GRAND VIZIR... ET PUIS, JE CROIS QU'IL NE MARCHE PLUS, JE VIENS DE L'ESSAYER SUR MOI...

LE... LE GRAND VIZIR ?

...MAIS PEUT-ÊTRE N'A-T-IL PAS D'EFFET SUR SON INVENTEUR !? ET PUIS, JE PENSE À L'U-TILITÉ HUMANITAIRE D'UN TEL TOUR, IMAGINEZ, GRAND VIZIR, SI NOUS POUVIONS AGIR SUR NOUS, ENFANT, ET SUPPRIMER NOS TARES, CORRIGER NOS DÉFAUTS...

MAIS ÇA AGIT ! J'AI UNE CICATRICE À LA JAMBE QUI LE PROUVE ! PAS VRAI, PATRON ?!

HEU...

...ÉCOUTEZ MON PETIT, C'EST MOI QUI AI LE CONTRAT DE CE TOUR DE MAGIE, C'EST DONC MOI QUI DÉCIDERAI CE QUE L'ON FERA DE CE TOUR! EN ATTEN-DANT...

FAIS-MOI LE! SINON JE TE FAIS EMPALER!

COMMENT?! TU OSES MENACER TON GRAND VIZIR?!

PAS DU TOUT! C'EST ÇA MON TOUR DE MAGIE! UN COUP SUR LA TÊTE VA VOUS FAI-RE APPARAÎTRE ENFANT!

JE COMPRENDS TOUT!...

...LE PHÉNOMÈNE SE TERMINE QUAND LA BOSSE A DISPARU!

JE NE SAIS PAS, VOUS ÊTES LE PREMIER QUE J'AI FRAPPÉ, CE QUI M'A FAIT DÉCOUVRIR MON DON.

HÈ! HO! IL VIENT!? CE COUP!? ET PAS TROP FORT, HEIN?!

CHÉRIE, VOILÀ LE DOCTEUR! COMMENT VA-T-ELLE?

CHÛÛT! REGARDE!

PLAF!

(*) VOIR: LES COMPLOTS DU GRAND VIZIR IZNOGOUD.

OÙ EST CET
AFFREUX!?
OÙ EST MA FEMME?
OÙ?...

OÙ SUIS-JE?

TU ME LE DONNES, CE COUP DE LIVRE! OUI OÙ NON? EN VOILÀ ASSEZ! ET TAPE FORT.!!!

HEU... OUI GRAND VIZIR, TOUT DE SUITE...

MAIS? ILS SONT TOUS MALADES DANS CETTE MAISON.

PLAF!

GLOUK!

JE TE JURE QUE JE NE L'AVAIS JAMAIS VU, PARDONNE-MOI SI JE PARS AVEC LUI... JE... JE NE PEUX PAS T'EXPLIQUER...LE COUP DE FOUDRE, SÛREMENT...

?!?!?

ÇA Y EST! LE SECOND GLOUK A DISPARU, PATRON!

CE COUP CI, ÇA VOUS VA, GRAND VIZIR?...

PA...PARFAIT! LA BOSSE EST É-NORME!!

GLOUK!

ADIEU!...JE SUIS HEUREUSE!...

C'EST FOU! JE...JE RÊVE OÙ QUOI? ET... COMMENT VAIS-JE REVENIR A BAGDAD?...!?

TABARY

...IL NE SE PASSE RIEN...

C'EST NORMAL, PATRON.

VOUS NE POUVEZ APPA-RAÎTRE ENFANT, QUE OÙ VOUS ÉTIEZ EN-FANT! ICI, VOUS N'ÊTES JAMAIS VENU ENFANT!... DONC, VOUS NE POUVEZ PAS Y APPARAÎTRE!... LOGIQUE, NON?

77

TU AS RAISON! C'EST LOGIQUE! ALORS, VITE RENTRONS AU PALAIS!...

?!

JE NE COMPRENDS PAS BIEN CE QUE VOUS COMPTEZ FAIRE, PATRON, SI VOUS NOUS RETROUVEZ ENFANTS?

SUPPRIMER LE CALIFE, PARDI! À CET AGE ÇA VA ÊTRE FACILE, ET LE CALIFE ADULTE DISPARAITRA AUTOMATIQUEMENT...

ET... ET VOS PARENTS?.. ILS SONT TOUJOURS DANS L'ARMOIRE...

MES PARENTS? MAIS ILS ONT DISPARU DEPUIS PLUSIEURS ANNÉES!

...PUISQU'IL SERA MORT À L'AGE DE 10 ANS. HÉHÉHÉ!

MAIS C'EST MONSTRUEUX!! SUPPRIMER UN ENFANT!? VOUS VOUS RENDEZ COMPTE, PATRON?

PAS DUTOUT! ILS VIENNENT D'ENTRER DANS CETTE ARMOIRE!!

ÇA FAIT DES ANNÉES! D'AILLEURS, VOUS ALLEZ VOIR...

C'EST NOUS!.. ON RENTRE DE L'ÉCOLE, QU'EST-CE QU'ON ÉTAIENT MIGNONS PETITS! VOUS NE TROUVEZ PAS, PATRON?

SI... SAUF LE PETIT GROS! LUI, IL EST AFFREUX! ET JE VAIS LE...

IZNO! ATTENDS-NOUS, À QUOI ON JOUE?

OUI, MAIS VOUS AVEZ REMARQUÉ, PATRON, IL Y A DEUX GARDES QUI LE SUIVENT SANS RÉPIT!

JE VOIS! MAIS J'AI UNE IDÉE!..

...POUR ÉLOIGNER LES GARDES DU JEUNE CALIFE, TU VAS VOLER UNE PASTÈQUE!.. LE MARCHAND APPELLERA ET...

... SI LES GARDES M'ATTRAPENT ILS ME FERONT COUPER LA MAIN! C'EST LE TARIF POUR UN VOLEUR DE PASTÈQUES!

NE T'INQUIÈTE PAS POUR ÇA! JE SUIS LE GRAND VIZIR, NON? JE FERAI COMMUER TA PEINE EN JOURS DE CACHOT! ALLEZ, VA.

HEIN? MAIS PATRON...

VA! OU JE TE FAIS!..

...VOUS M'AVEZ CONVAINCU, PATRON!... J'Y VAIS.

81

TIENS, UN VIEUX SAC... LE RÊVE SERAIT DE LE CACHER DEDANS, ET D'ALLER LE PERDRE DANS LE DÉSERT...

... OÙ IL MOURRAIT DE SOIF ET DE FAIM... C'EST UN RÊVE INSENSÉ, JAMAIS IL...

HÈ, MONSIEUR!...

... JE PEUX ME CACHER DANS VOTRE SAC? S'IL VOUS PLAÎT!

... 32... 33... 34... 35... 36...

HÈ! CE N'EST PAS LA PEINE DE FERMER LE SAC!

ÇA Y EST! JE LE TIENS! JE LE TIENS! YOUPI!

HÈ!?

JE VEUX SORTIR! J'ÉTOUFFE!! IZNO, À MOI! IZNO, AU SECOURS!

HI, HI, HI! IL NE PEUT PAS SAVOIR QUE CELUI QU'IL APPELLE C'EST MOI, ENFANT...

...ET QU'ÉVIDEMMENT J'AVAIS LA MÊME OBSESSION: DEVENIR CALIFE À LA PLACE DU CALIFE!

IZNO!

J'AI TOUT VU! IL S'EST CACHÉ DANS UN SAC, ET UN TYPE L'A EMPORTÉ! PAR LÀ, IZNO!

ALLONS-Y!

IZNO! VITE!... J'ÉTOUFFE!... SNIF!... SNIF!... AU SECOURS!

TAIS-TOI! NE M'OBLIGE PAS À T'ASSOMMER EN PLUS DE...

AÏE! AAAARR!! BRAVO IZNO..!

BIING

MAIS BOUGRE D'IDIOT! LAISSE-MOI FAIRE! UN TOUR DE MAGIE EXTRAORDINAIRE ME DONNE LE MOYEN DE LE FAIRE DISPARAÎTRE ET DE DEVENIR CALIFE À LA PLACE DU CALIFE! C'EST BIEN CE QUE TU VEUX, COMME MOI?!

?

HEIN? MOI, VOULOIR PRENDRE LA PLACE DU CALIFE QUE HAROUN SERA UN JOUR?!? JAMAIS DE LA VIE!! S'IL Y A UNE CHOSE QUE JE NE DÉSIRE PAS, C'EST BIEN DE DEVENIR CALIFE! SURTOUT EN PRENANT LA PLACE DE QUELQU'UN! ET ENCORE MOINS SI CE QUELQU'UN C'EST MON AMI HAROUN!

?

MAIS TU DOIS LE VOULOIR! PUISQUE MOI JE LE VEUX ET QUE TU ES MOI ENFANT!!

MAIS IL EST FOU CE TYPE!! LÂCHEZ-MOI! AU SECOURS!!

TU ES TROP BON, IZNO, TROP GÉNÉREUX ET COURAGEUX! TU VIENS PEUT-ÊTRE DE SAUVER LA VIE DE TON FUTUR CALIFE! TU ME PROTÈGES MIEUX QUE MES GARDES...

...J'AI BESOIN DE TOI! ET PLUS TARD, QUAND JE SERAI CALIFE, TU SERAS MON GRAND VIZIR!

HEIN? MOI? GRAND VIZIR?

JE NE ME RECONNAIS PAS DANS CE GOSSE SANS AMBITION, ET DÉVOUÉ À CETTE GROSSE LOCHE PLEURNICHARDE! ET POURTANT C'EST BIEN VOUS, PATRON...

EN SERAI-JE DIGNE?

OUI, CAR TU ES BON ET JUSTE, IZNO!

ET MOI JE SERAI TON FIDÈLE HOMME DE MAIN! COMME ÇA, ON NE SE QUITTERA JAMAIS! YOUPI!

MAIS COMMENT, SI J'ÉTAIS SANS AMBITION, SUIS-JE DEVENU GRAND VIZIR... ET BIENTÔT CALIFE?

JE M'EN SOUVIENS, PATRON! C'EST APRÈS AVOIR FAIT ÉCHOUER L'ENLÈVEMENT QUE VOUS VENEZ DE TENTER, QUE HAROUN VOUS A PROMIS LA PLACE DE GRAND VIZIR QUAND VOUS SEREZ GRAND! ET MOI, D'ÊTRE VOTRE FIDÈLE...

...HOMME DE MAIN! NOUS AVONS TOUS LES DEUX TENU PAROLE!

TU VEUX DIRE QUE SANS LE TOUR DE MAGIE DE THÉLÉ-ÉRAZADE JE NE SERAIS PAS GRAND VIZIR?

ÇA ME PARAÎT ÉVIDENT, PATRON.

AUTRE CHOSE, PATRON, QUAND VOUS ÉTIEZ JEUNE, VOUS NE VOULIEZ PAS QU'ON VOUS APPELLE IZNOGOUD! POUR DES RAISONS OBSCURES VOUS TROUVIEZ QUE CE NOM NE CORRESPONDAIT PAS À VOTRE CARACTÈRE! PUIS UN JOUR, VOUS AVEZ CHANGÉ D'IDÉE, ET VOUS AVEZ EXIGÉ D'ÊTRE APPELÉ IZNOGOUD! POURQUOI? MYSTÈRE!

HI, HI, HI!...

... ET CE SERAIT À PARTIR DE CE JOUR MYSTÉRIEUX ET BÉNI QUE J'AI VOULU DEVENIR CALIFE À LA PLACE DU CALIFE?!

ALLONS! ÇA SUFFIT LES BAVARDAGES! AU BOURREAU, ASSASSINS!

OUÏE!

MON BON IZNOGOUD!...

... ÇA RECOMMENCE! MON PÈRE VIENT DE RÉAPPARAÎTRE ET DE ME JETER À NOUVEAU DEHORS!! JE T'AVAIS DEMANDÉ D'INTERDIRE CE O°°O⋆ MAGICIEN!!

JE... JE M'Y EMPLOIE, Ô COMMANDEUR DES CROYANTS! MAIS ÇA SE COMPLIQUE!

AÏE! J'ARRIVE TROP TARD POUR SES REINS!

IL N'EMPÊCHE QUE CES DEUX HOMMES ME TOURMENTENT! LEUR RESSEMBLANCE AVEC DILAT ET MOI! LEURS PROPOS ÉTRANGES... ET POURQUOI TON ENLÈVEMENT!

TU AS RAISON! RENTRONS AU PALAIS. LES QUESTIONNER!

BAH? ET CES DEUX GARDES? CE SONT CEUX QUI ME GARDAIENT QUAND J'ÉTAIS JEUNE! JE LES CROYAIS VIEUX ET À LA RETRAITE!! ET... ET ILS T'ARRÊTENT, MON BON IZNOGOUD!? QUE!? QUE... QUE SE PASSE-T-IL?

RIEN!... RIEN DU TOUT! Ô...

...COMMANDEUR DES CROYANTS! EN RÉALITÉ VOUS DORMEZ ET VOUS RÊVEZ...

C'EST UN CAUCHEMAR, ALORS. SI C'EST ÇA, DIS À MES SERVITEURS, QU' AVANT DE ME RÉVEILLER, ILS ME RAMÈNENT SUR MES COUSSINS ET QU'ILS SOIGNENT MES PLAIES ET MES BOSSES...

90

JE SUIS LE BOURREAU DE BAGDAD, POURQUOI?

OÙ... OÙ EST L'AUTRE?

IL N'Y EN A PAS D'AUTRE! CET INCONNU A PRÉTENDU LE CONTRAIRE!... À PRÉSENT IL SAIT!!

L'UN DES DEUX AUTRES SERAIT MOI ADULTE? LA MAGIE POURRAIT...

SI TU VEUX DES PREUVES QUE JE SUIS BIEN TOI, ET QUE TU ES BIEN MOI, JE PEUX TE RACONTER DES SOUVENIRS D'ENFANCE! PAR EXEMPLE:

...QUAND J'AI PROMIS À IZNOGOUD QU'IL SERAIT MON GRAND VIZIR, C'EST LE JOUR OÙ UN HORRIBLE INDIVIDU A TENTÉ DE M'ENLEVER! ET QU'IL M'A SAUVÉ!

ÇA... ÇA VIENT DE NOUS ARRIVER! INOUÏ!!

SI C'EST VRAI, L'HORRIBLE INDIVIDU C'EST IZNOGOUD ADULTE!

HÈ. PATRON! ON EST FOUTU OU QUOI? FAITES QUELQUE CHOSE!

NE T'INQUIÈTE PAS, DILAT!..

...JE SUIS SÛR QUE QUAND ÇA VA ÊTRE MON TOUR IL VA SE PASSER QUELQUE CHOSE! JE NE PEUX PAS DISPARAÎTRE, MOI! J'AI UNE VOCATION ET ELLE DOIT S'ACCOMPLIR!

COMMENT!? IZNO...GOUD UN HORRIBLE INDIVIDU!?! C'EST INIMAGINABLE! INCONCEVABLE! IMPENSABLE! IZNOGOUD EST LA BONTÉ MÊME! IZNOGOUD PERSONNIFIE LA BONTÉ!!

HÈ!! LE MIEUX C'EST D'ALLER LES VOIR! VITE, ON VA LEUR COUPER LA TÊTE!!

JE M'EN SOUVIENS AUSSI DE ÇA! ILS N'AURONT PAS LA TÊTE TRANCHÉE... ILS VONT DISPARAÎTRE D'UNE FAÇON TOUT À FAIT INEXPLICABLE!

PATRON! IL A DISPARU!

LES GARDES AUSSI! QU'EST-CE QUE JE TE DISAIS?!!

93

D'AILLEURS, JE ME SOUVIENS QUE MOI AUSSI JE VAIS DISPARAÎTRE!... **MAIS?**... OÙ ÊTES-VOUS? ILS ONT DISPARU!?...

C'EST DRÔLE, DANS MON SOUVENIR C'EST MOI QUI DISPARAIS, ET LÀ CE SONT EUX... EN TOUS CAS, CE TOUR DE MAGIE M'INTÉRESSE...

SI VOUS AVEZ COMPRIS QUELQUE CHOSE, GRAND VIZIR, FAUT ME L'DIRE!

MA BOSSE A DISPARU! C'EST DONC BIEN ÇA QUI FAIT CESSER LE MIRACLE!

MON BON IZNOGOUD!...

ZUT! LE CALIFE! IL VA ENCORE SE PLAINDRE AU SUJET DE CE...

...BRAVO! CE TOUR DE MAGIE EST FORMIDABLE! TROUVE-MOI CE MAGICIEN! JE VAIS ME L'ATTACHER COMME MAGICIEN EXCLUSIF! TU TE RENDS COMPTE JE VAIS POUVOIR JOUER AVEC MOI ENFANT! INOUÏ!

HEIN?! MAIS?!..

...JE...JE NE SAIS PAS OÙ ELLE ...OÙ IL EST Ô COMMANDEUR DES CROYANTS... JE CHERCHE, JE CHERCHE...

MON PAUVRE IZNOGOUD! J'ABUSE DE TA BONTÉ! EN PLUS DE TES CHARGES DE GRAND VIZIR JE T'EMBÊTE AVEC MES PETITS DÉSIRS. EH BIEN...

...NE CHERCHE PLUS CE MAGICIEN, JE VAIS OFFRIR UNE PRIME À CELUI QUI ME LE TROUVERA! CE SERA VITE FAIT!...

VITE, DILAT! SINON, CE GROS PLEIN D'POIS CHICHE VA TOUT FAIRE RATER! COURS CHERCHER THÉLÉÉRAZADE ET ENFERME-LA DANS UN CACHOT! SURTOUT, QUE PERSONNE NE TE VOIT!!

LE... LE CALIFE OFFRE UNE PRIME, PATRON...

COMMENT?! TU VEUX ENCORE ME TRAHIR?! MAIS TU NE PENSES QU'À ÇA!! APRÈS M'AVOIR JURÉ FIDÉLITÉ QUAND TU ÉTAIS PETIT?!

QUAND JE PENSE QUE QUAND IL ÉTAIT ENFANT, IL ÉTAIT BON, GÉNÉREUX, AFFABLE, DOUX.... MAIS QU'A-T-IL BIEN PU SE PASSER!

CE QUI S'EST PASSÉ EST ÉTROITEMENT LIÉ À CE MYSTÉRIEUX BERGER... CET ÉTRANGE PERSONNAGE A QUITTÉ SES LOINTAINS PÂTURAGES POUR VENIR FAIRE FORTUNE À BAGDAD.

NE VOUS FACHEZ PAS, PATRON, J'Y VAIS, AVEC OU SANS PRIME!

SANS PRIME!!

POUR LA PROCHAINE FOIS JE VAIS PRÉPARER MON COUP! ET SURTOUT EMPÊCHER LE PÈRE DU CALIFE DE DONNER DES ORDRES QUI CONTRARIENT MES PLANS! LE MEILLEUR MOYEN C'EST DE...

GRAND VIZIR!...

...ILS SE PASSENT DANS LE PALAIS DES ÉVÉNEMENTS EXTRAORDINAI- RES! TOUT À COUP LA GAR- DE A ÉTÉ DOUBLÉE...

!!!

...PAR DES INCONNUS, QUI, SUR L'OR- DRE D'UN INDIVIDU BARBU NOUS ONT JETÉS EN PRISON! ET PUIS, AUSSI SOUDAINEMENT, ILS ONT DISPARU !!?

HÈ! HÈ! JE LE TIENS MON MOYEN!...

C'EST POUR SAVOIR SI NOTRE CALIFE VÉNÉRÉ EST PAR- FAITEMENT PROTÉ- GÉ PAR SA GARDE, QUE J'AI PROVOQUÉ CES ÉVÉNEMENTS...

ET JE SUIS BIEN OBLIGÉ DE CONSTATER QUE CETTE GARDE, DONT VOUS ÊTES LE CAPITAINE, SE TROUVE RÉDUITE À L'IMPUISSANCE À LA MOINDRE ATTAQUE SURPRISE! C'EST SCANDALEUX!! INSUPPORTABLE! INADMISSIBLE!

C'EST SURTOUT SUFFISANT POUR ÊTRE MIS À LA RETRAITE ANTICIPÉE SANS SOLDE!... MAIS JE PEUX TE DONNER LA POSSIBILITÉ DE TE RACHETER!...

À VOS ORDRES GRAND VIZIR...

HEU... MOI... VOULOIR... VOIR... CALIFE... IMPORTANT... AFFAIRE... OUI?...

POUR VOIR LE CALIFE IL FAUT...

IL FAUT VOIR BODU!

EH BIEN DONNES-EN! POUR QUE SI CES ÉVÉNEMENTS EXTRAORDINAIRES SE REPRODUISENT, LE BARBU, (SURTOUT LE BARBU!) LES FAUX GARDES ET LES FAUX SOLDATS SOIENT, SANS EXPLICATION, IMMÉDIATEMENT ASSOMMÉS ET JETÉS EN PRISON!

HÈ! BODU C'EST LE SERVITEUR DU CALIFE! HÎ, HÎ! IL FAUT LUI FAIRE RENCONTRER BODU! ÇA VA ÊTRE DRÔLE! JE VAIS LE CONDUIRE!

MOI... MERCI... VOUS.

TOI, AVEC TES BLAGUES.

HE, HE... VOILÀ UN GROS PROBLÈME DE RÉGLÉ!

BODU VOUS EXPLIQUERA, CLAIREMENT, HÎ, HÎ, HÎ... CE QU'IL FAUT FAIRE POUR RENCONTRER LE CALIFE!..

BAH, TIENS! LE VOILÀ! BODU! BODU!

CHER BODU, CE QUIDAM DÉSIRE TE DEMANDER QUELQUE CHOSE. RÉPONDS-LUI AVEC CLARTÉ, COMME D'HABITUDE...

MOI... VOIR... CALIFE... PROPOSITION... POUR...

MEEUH...

... YEVOIMEUH IMEUH BEEUH VIDEUMEUH LEUDEGUEUH,? MEUYEUDEGEUH IVDEUGAMEUH!

HA!HA!HA!

VIDEUMEUH? BEULEUMEUH ITEUH, IIIIIVBEUDEUGEUH AULEUMEUH...

MEEeeeeEUH! MEE...

CE QUI M'INTRIGUE, M'INQUIÈTE ET ME GÊNE, C'EST CE MOI ENFANT QUI NE VEUT PAS ÊTRE CALIFE, ET QUI PROTÈGE AVEC COURAGE ET SINCÉRITÉ CETTE GROSSE LARVE!!...

99

...ET J'AI BEAU REMONTER DANS MES SOUVENIRS... IMPOSSIBLE DE SITUER QUAND A EU LIEU LA MÉTAMORPHOSE QUI A FAIT DE MOI, CET HOMME SYMPATHIQUE À FORTE PERSONNALITÉ ET À L'AMBITION JUSTIFIÉE PAR L'INCAPACITÉ DE CE GROS GRAS DU BIDE !!

MERCI! MOI, BERGER... MOI, MAL PARLER, LANGUE HOMME... MOI, TOUJOURS AVEC ANIMAUX DANS MONTAGNE... MOI, MIEUX PARLER LANGUE DE BŒUF... DANS MON PAYS, MOI, ÉRUDIT, MOI, POLYGLOTTE.

PO... POLYGLOTTE?

OUI, MOI, PARLER PLUSIEURS LANGUES ... LANGUE DE BŒUF... LANGUE DE VEAU... LANGUE DE PORC... LANGUE DE MOUTON...

MUH MEUHA, MIH?(1)

(1) - TU M'APPRENDRAS, DIS ?

MEH MUIHS-MEEH MAIHMEUSE BEEEUH HOU MEUIH?(1)

(1)- OÙ PUIS-JE POSER MON LOURD BAQUET?

MYEUH MYEUH MOULTH!(2)

(2)- OÙ TU VEUX!

RIMEUH-GEUH BEMOYEUH INMIEUMIEUH. (1)

MËUH!(2)

(1)- AVANT DE RENCONTRER LE CALIFE IL FAUT VOIR LE GRAND VIZIR. (2)- BIEN.

REUH BEUH! YEU BEUH! MEUH! ?

MEUH, RABADIBEUH BUDEUZEUH, AGLA-B-EUH MATHEUH BEEEUDEUGU-LEUH!

MOI... PEUX TRA-DUIRE... SI VOUS VOULOIR...

QU'EST-CE QUE C'EST EN-CORE QUE CE CIRQUE?!!!

BREUGUEUDEUBEUH!!

QUE DIT CET ABRUTI?!!

ABRUTI DIRE À VOUS... QUE MOI AI CHOSE À DIRE À VOUS... ET À MOI, DE DIRE CHOSE À VOUS.

BOUMMEUH! RUMEUH! GABA-DEEUH... !!!
※·@·!!

VREUBEEUH-ZEUH ITEUH!

ET LÀ, QUE DIT-IL?

QUE NOM À LUI, PAS ABRUTI, MAIS BODU.

BADABEUH BEUBEUH! DI-BIBADEEEUH!

ET ÇA?

LUI DIRE... MOI, SI CONTINUE À FAIRE PERDRE TEMPS À VOUS, VOUS, FAIRE EMPALER, MOI!..

101

MAIS?!.. MAIS IL A RAISON! QU'EST-CE QUE TU ME VEUX!? PARLE!! VITE!

MOI, PRÉPARÉ POTION MAGIQUE ... AVEC FIEL DE MOUTON, ORTIE ET SECRET... VOUS GAGNER GUERRE... SI GUERRE... CHAQUE SOLDAT... TASSE... AVANT BATAILLE ET...

EST-CE QUE ÇA PEUT FAIRE DEVENIR CALIFE À LA PLACE DU CALIFE?

VOUS PENSER PROJET DANS TÊTE... BOIRE TASSE POTION... ET, PENDANT JOURNÉE... RIEN ARRÊTERA VOLONTÉ, DÉTERMINATION, RÉSOLUTION, OBSTINATION PAR N'IMPORTE QUEL MOYEN... POUR RÉALISATION TOTALE, ABSOLUEDE PROJET À VOUS...

SANS INTÉRÊT POUR MOI! J'AI DÉJÀ CETTE VOLONTÉ OPINIÂTRE POUR LA RÉALISATION TOTALE ET ABSOLUEDE MON PROJET ET PAR N'IMPORTE QUEL MOYEN!

PATRON...

... ÇA Y EST, J'AI ENFERMÉ THÉLÉÉRAZADE, SEULE DANS UN CACHOT! ELLE N'APPRÉCIE PAS!

PARFAIT! ON Y VA!... HEU... VOUS, NE PARTEZ PAS, J'AI COMME L'IMPRESSION QUE VOTRE POTION MAGIQUE VA ME SERVIR!

TU TE CHARGE-RAS DE TOI ENFANT! ASSOM-ME-TOI S'IL LE FAUT!

HEIN?..HEU... OUI PATRON! MAIS VOUS? VOUS EN-FANT? C'EST QUE VOUS LE PROTÉGIEZ LE CALI-FE À CETTE ÉPOQUE! ET PUIS BRUSQUEMENT...

VOUS N'AVEZ PAS LE DROIT! JE ME PLAINDRAI AU CALIFE!!

HI, HI HI!..

...SI UN JOUR TU TE PLAINS AU CALIFE CE SERA À MOI! CAR TU NE SORTIRAS DE CE CACHOT QUE LORSQUE JE SERAI CALIFE!! DONC, TON INTÉRÊT C'EST DE M'AIDER!...

JE N'AI PAS LE CHOIX! MAIS JE JURE, QUE SI UN JOUR JE SORS D'ICI JE DÉTRUIRAI MON DON, QUI, COMME BEAUCOUP D'INVENTIONS NE SERVENT QU'A FAIRE LE MAL!

EN ATTENDANT, TAPE! ET FORT!

PRENEZ EXEMPLE SUR MON PATRON ... SA PERSÉVÉRANCE EST UN MODÈLE.

PLAF!!

TRÈS...TRÈS BIEN...A...A... ALLONS-Y DILAT...ET FERME BIEN LA PORTE...

ET J'AI TOUT MON TEMPS! CETTE THÉ-LÉÉRAZADE PEUT ME SERVIR PLU-SIEURS FOIS!

CRUIK.

SNIF!...

BAH?.. QUE FAITES-VOUS DANS MON CACHOT, BELLE ENFANT ?..

QUI ÊTES-VOUS? D'OÙ VENEZ-VOUS? J'ÉTAIS SEULE ET...

JE SUIS LE PRISONNIER DE CETTE CELLULE DEPUIS PLUS DE 10 ANS...

JE COMPRENDS! IL VIENT DE RÉAPPARAÎTRE À CAUSE DE MON TOUR DE MAGIE! ET IMPOSSIBLE DE LUI EXPLIQUER, IL ME PRENDRAIT POUR UNE FOLLE!...

BRAVO, CAPITAINE!

QUI ÊTES-VOUS?

VOTRE CAPITAINE C'EST MOI, GRAND VIZIR! MAIS FALLAIT PAS LEUR DONNER LES MÊMES ORDRES!

YOUPI! ÇA RECOMMENCE MON BON IZNOGOUD!! VITE! RETROUVE-MOI QUAND J'ÉTAIS PETIT! J'AI ENVIE DE JOUER AVEC MOI!!

105

...J'AVAIS POURTANT DIT DE JETER TOUTE CETTE RACAILLE EN PRISON!! **DES TÊTES VONT TOMBER!!...**

ÇA SE PRÉSENTE MAL, VITE, CACHONS-NOUS!

...C'EST INSUPPORTABLE À LA FIN! ILS APPARAISSENT! ILS DISPARAISSENT! ET LES REVOILÀ!!!

C'EST LE PÈRE DU CALIFE. IL N'A PAS ÉTÉ ASSOMMÉ!!

AAARR!! CES GARDES! CES SOLDATS!! TOUS DES BONS À RIEN!! SANS VOLONTÉ, SANS DÉTERMINATION, SANS... **MAIS!?..**

...VOILÀ À QUOI VA SERVIR LA POTION MAGIQUE DE CE TYPE! DONNER, POUR UNE JOURNÉE, UNE VOLONTÉ DÉMONIAQUE AUX SOLDATS ET AUX GARDES!...

BELLE ENFANT, JOLIE COMME TU ES, TU NE PEUX PAS RESTER DANS CE CACHOT! ES-TU PRÊTE À T'ÉVADER AVEC MOI? DEPUIS 3 ANS JE CREUSE UN SOUTERRAIN, IL EST PRESQUE TERMINÉ...ENCORE QUELQUES HEURES...

VRAI?! FORMIDABLE!! VITE! VITE! IL FAUT S'ENFUIR AVANT QUE LA BOSSE DU GRAND VIZIR... MAIS VOUS NE POUVEZ PAS COMPRENDRE...

iENS!

MAIS?!

... REVOILÀ LES DEUX SCÉLÉRATS QUI ONT TENTÉ D'ENLEVER LE FILS DU CALIFE!! TOUS DESSUS!!!

SAUVE QUI PEUT, DILAT. VITE!!

!?

ET OÙ METTEZ-VOUS LA TERRE?

TRÈS BONNE QUESTION! DANS UN AUTRE TROU QUE J'AI CREUSÉ AVANT!... JE SAIS, MAIS IL FALLAIT Y PENSER!

IZNO! IZNO!...

... IZNO! BAH? QUE FAIS-TU?!

LES DEVOIRS DE CE PAUVRE **HAROUN**! DÉCIDÉMENT, IL NE COMPRENDRA JAMAIS RIEN AU CALCUL!

HA! HA! HA! TU ES TROP BON AVEC LUI!

ON EST JAMAIS TROP BON, ET PUIS, JE N'AI AUCUN MÉRITE SI C'EST MA NATURE PROFONDE!... ET POURTANT J'AI PEUR, DILAT... J'AI COMME LE PRESSENTIMENT QU'IL VA SE PASSER QUELQUE CHOSE DE GRAVE...

... JE NE PEUX PAS M'EMPÊCHER DE PENSER À CE QUE NOUS ONT DIT CES TYPES QUI NOUS RESSEMBLAIENT!! JE NE PENSE QU'À ÇA, DILAT, ÇA...

JUSTEMENT! C'EST ÇA QUE JE VENAIS TE DIRE!! LE PHÉNOMÈNE S'EST REPRODUIT! LES DEUX...

...TYPES SONT EN CE MOMENT DANS LE PALAIS, POURSUIVIS PAR LES GARDES!

JE VEUX LES REVOIR ET LEUR PARLER!

108

(1) _ QUI C'EST CELUI-LÀ ? (2) _ INCROYABLE !
C'EST... C'EST L'ANCIEN GRAND VIZIR !!! ?

(1) _ IL EST MORT DEPUIS PLUS DE DIX ANS ! MAIS TU NE PEUX PAS COMPRENDRE ! (2) _ SI TU CROIS QUE QUELQU'UN PEUT COMPRENDRE !...

109

113

HA!HA!HA!

...ATTENDEZ! TU TE DIS GRAND VIZIR, DONC LE RESPONSABLE DE CE QUI ARRIVE!! ALORS TU VAS NOUS DIRE, **SOUS LA TORTURE S'IL LE FAUT!** PAR QUEL MIRACLE, TU AS INSTANTANÉMENT DOUBLÉ MA GARDE, MES SOLDATS, MES...

POUR QUI ME PRENEZ-VOUS, MÔSSIEU?..

...JE SUIS UN CHEF! DONC, DE LA RACE DE CEUX QUI NE PARLENT PAS! **MÊME SOUS LA TORTURE!** PAR CONTRE...

BRAVO, PATRON! ÇA C'EST ENVOYÉ!

QUEL EST L'ABRUTI QUI A ⚡?⭐💀!!

...PAR CONTRE, DISAIS-JE, LUI, C'EST DE LA VA-LETAILLE! SOUS LA TORTURE IL FINIRA PAR PARLER!

HEIN?!.. MAIS!?.. MAIS JE NE SAIS RIEN, MOI!!!

S'IL NE SAIT RIEN?

MAIS BOUGRE D'IMBÉCILE! IL SUFFIT QUE TU TIENNES LE TEMPS QUE MA BOSSE DISPARAISSE!

MAIS PATRON...VOUS SAVEZ BIEN QUE JE NE SUPPORTE PAS QU'ON M'ARRACHE LES ONGLES, QU'ON ME COUPE EN RONDELLES ....JE...JE PRÉFÈRE PARLER TOUT DE SUITE!

C'EST TOI QUI M'AS DIT DE DESCENDRE SUR LA RAMPE!

NOUS DESCENDONS TOUJOURS SUR LA RAMPE, IZNO! J'IGNORAIS QUE...

JE T'INTERDIS DE M'APPELER IZNO! MON NOM C'EST IZNOGOUD!

?

NON MAIS SANS BLAGUE...!!!

BAH?.. BAH?.. QU'EST-CE QUI LUI PREND ??

HÈ! TE FÂCHES PAS IZNO... HEU... IZNOGOUD! ATTENDS MOI!

TU AS BIEN DIT L'AUTRE JOUR, QUE QUAND JE SERAI GRAND VIZIR TU SERAS MON HOMME DE MAIN?

JE LE JURE, MÊME.

EH BIEN, IMAGINE QUE JE SUIS DÉJÀ LE GRAND VIZIR! ET APPELLE-MOI PATRON!

D'ACCORD IZ NO... HEU... IZNOGOUD... HEEU, PATRON!

JE VAIS ME NETTOYER! SUIS-MOI, TU ME FROTTERAS LE DOS!

OUI, HEU... PATRON.

TABARY

HALTE! ÉCOUTE...

... ET NOUS RÉAPPARAISSONS UNE TRENTAINE D'ANNÉES EN ARRIÈRE! GRÂCE, OU PLUTÔT, À CAUSE DE THÉLÉÉRAZADE! VENEZ LA VOIR, NOUS L'AVONS ENFERMÉE DANS UN CACHOT, ELLE VOUS FERA SONTOUR!

PEUREUX! LÂCHE! TROUILLARD!...

COMMANDEUR DES CROYANTS!...

CET ÉTRANGER VEUT NOUS VENDRE UN BAQUET DE POTION MAGIQUE CAPABLE DE DONNER À NOS SOLDATS, S'ILS EN BOIVENT UNE TASSE, UNE JOURNÉE DE VOLONTÉ INÉBRANLABLE! IL SUFFIT DE LEUR METTRE, JUSTE AVANT DE BOIRE, UNE IDÉE DANS LA TÊTE!

HÉ, HÉ! CETTE IDÉE POUR- RAIT ÊTRE D'ÉCRASER CE RÉPUGNANT SULTAN PULLMANBHUS! (1)

HÉ! MAIS J'AI UNE OPTION SUR CE BA- QUET, MOI!

(1) PULLMANBHUS EST LE PÈRE DE PULLMANKAR LE TERRI- BLE VOISIN DU CALIFE HAROUN EL POUSSAH.

MAIS, TU L'AS ESSAYÉE TA POTION MAGIQUE?

OUI, MOI ESSAYÉE SUR ANI- MAUX... SUR GRENOUILLE... ELLE, DANS TÊTE, IDÉE DEVENIR GROSSE COMME BŒUF, MOI DONNER POTION MAGIQUE, ELLE VOULOIR! **VOULOIR! VOULOIR!** LE SOIR, ELLE, ÉCLATER!

C'EST LE BA- QUET DANS LEQUEL TU ES TOMBÉ! **HA! HA! HA!** TU AS DÛ BOIRE LA FAMEUSE TASSE!

TAIS-TOI! TU M'EMPÊCHES DE RÉFLÉCHIR!

TRÈS BIEN! ÇA NOUS INTÉRESSE! MAIS TOUT DE SUITE JE VEUX VOIR CETTE MAGICIENNE! CONDUIS-MOI À SON CACHOT, TOI! ET SI TU M'AS MENTI...!..

OÙ EN EST MA BOSSE? JE VAIS LA MASSER ELLE SE RÉSORBERA PLUS VITE!

JE ME POSE LA QUESTION : POURQUOI CE SERAIT CE MOU, CE PLEURNICHARD DE HAROUN QUI SERAIT CALIFE ET PAS MOI ? HMM ? ET SI JE VOULAIS ÊTRE CALIFE À LA PLACE DU CALIFE ??!

HÈ! C'EST CE QUE TU DISAIS QUAND TU ES TOMBÉ DANS LE BAQUET !...

EH BIEN C'EST ÇA! À PARTIR DE CET INSTANT, JE VEUX ÊTRE CALIFE À LA PLACE DU CALIFE!! ET S'IL LE FAUT, PAR TOUS LES MOYENS! MÊME, ET Y COMPRIS, LES PLUS ABJECTS !!!

PAS UN MOT DE TOUT CELA À HAROUN! SINON, QUAND JE SERAI GRAND VIZIR, JE TE FERAI EMPALER!!

HEUREUSEMENT QUE L'EFFET DE CETTE POTION MAGIQUE NE DURE QU'UNE JOURNÉE ; IL EST ÉPOUVANTABLE.

QU'EST-CE QU'IL NE FAUT PAS ME DIRE, MON BON IZNO ?

CE QUE DIT L'HUMBLE LARVE QUE JE SUIS, NE PEUT INTÉRESSER LE FUTUR Ô COMMANDEUR DES CROYANTS...

MAIS TU ES TREMPÉ MON PAUVRE IZNO ?...

VIENS TE CHANGER TU VAS ATTRAPER DU MAL!

POURQUOI CETTE NOUVELLE ATTITUDE ?

POUR LE METTRE EN CONFIANCE...

MAIS IL A CONFIANCE.

ELLE S'EST ÉVADÉE!

ET ELLE A DÉTRUIT SON LIVRE MAGIQUE!!

MENSONGE!! IL N'Y A JAMAIS EU DE FEMME DANS CE CACHOT, MAIS UN HOMME!.. QUI S'EST ÉVADÉ!

VOUS ÊTES SÛR QUE NOUS N'ALLONS PAS ABOUTIR DANS LA SALLE DES GARDES? EN B.D C'EST CLASSIQUE...

CERTAIN! SURTOUT QUE JE VIENS DE CHANGER DE DIRECTION! IL M'EST VENU UNE IDÉE SUBITE...

SI ELLE A DÉTRUIT SON LIVRE, DE TOUTES FAÇONS LE TOUR DE MAGIE N'EST PAS RENOUVELABLE, PATRON!?

TAIS-TOI!..

... POUR L'INSTANT IL FAUT SAUVER NOTRE PEAU!

QU'EST-CE QUE JE VOUS DISAIS !? CE RUSTRE NE DIRA LA VÉRITÉ QUE SOUS LA TORTURE! TORTUREZ-LE, QUE DIANTRE!

SON IGNO-MINIE M'ANÉ ANTIT!...

ET S'IL NE SAIT RIEN?

S'IL NE PARLE PAS, QUAND VOUS LUI AUREZ TOUT CASSÉ, TOUT ARRA-CHÉ ET TOUT COUPÉ, IL FAUDRA BIEN ADMETTRE QU'IL NE SAIT RIEN.

ALORS, JE PARLERAI! JE SUIS DE LA RACE DE CEUX QUI NE PARLENT PAS, MAIS DEVANT LA SOUFFRANCE D'AUTRUI, JE CRAQUE...

QUELQUES HEURES PLUS TARD...

ET VOILÀ, NOUS SOMMES LIBRES!

MAIS?...

122

ICI, TOUS FOUS DANS SA TÊTE... MOI PRENDRE POTION MAGIQUE À MOI, ET ALLER VENDRE AILLEURS...

...ATTENDS! JE ME SOUVIENS À PRÉSENT! TA POTION MAGIQUE CE N'ÉTAIT PAS CE BAQUET PLACÉ PRÈS DE L'ESCALIER?

ET SI J'AI BIEN COMPRIS, UNE TASSE DE TA POTION DONNE POUR UNE JOURNÉE UNE VOLONTÉ IRRÉVERSIBLE!? MAIS... SI PAR HASARD ON TOMBE DANS TA POTION MAGIQUE... QUE SE PASSE-T-IL?...

EXACT.

EXCELLENTE QUESTION. COMME TOUTES POTIONS MAGIQUES, SI TOMBER DEDANS, EFFET PERMANENT TOUTE LA VIE! PRÉCÉDENT CÉLÈBRE DANS LOINTAINE GAULE...

INCROYABLE!...

STUPÉFIANT!!

(1) MONOPLACE = DROMADAIRE.

J'AI PREUVE. MOI, TENTÉ EXPÉ-
RIENCE AVEC MOUTON. MOI
MIS DANS BAQUET PETIT MOU-
TON QUI VOULAIT DEVENIR BER-
GER À LA PLACE DU BERGER!
LUI, MIS 3 ANS POUR RÉUSSIR.
MOI, BERGER, OBLIGÉ PARTIR.
À PRÉSENT, LUI BERGER! LUI
PRIS : MAISON, TROUPEAU,
CHIEN ET FEM-
ME À MOI...
SNIF!..

EH BIEN, MOI AUSSI JE SUIS TOM-
BÉ DANS TON BAQUET... QUAND
J'ÉTAIS PETIT... JE M'EN SOU-
VIENS COMME SI C'ÉTAIT HIER...
ET C'ÉTAIT AUJOURD'HUI... ÇA
FAIT 30 ANS D'ÉCHECS...
ET POUR-
TANT...

VRAIMENT, TOUS
FOUS DANS
SA TÊTE.

...JE VEUX TOU-
JOURS ÊTRE
CA...

QU'EST-CE
QUE TU VEUX
TOUJOURS ÊTRE,
MON BON
IZNOGOUD?..

FIN

TEXTE ET DESSINS : TABARY

J'ai lu BD

5 MARS 1987

et bientôt Manara, Tardi, Gillon ... et Kador.

Imprimé par Tipolitografia Canale à Turin
le 9 décembre 1986
Dépôt légal décembre 1986. ISBN 2-277-33009-6
Imprimé en Italie

J'ai lu BD / Editions J'ai lu
27, rue Cassette 75006 Paris

Diffusion France et étranger : Flammarion